大师名作绘本馆：大象巴巴故事全集

巴巴的故事

[法] 让·德·布吕诺夫 文/图

肖丹琪 译

中原出版传媒集团
大地传媒

文心出版社

图书在版编目（ＣＩＰ）数据

巴巴的故事 /（法）布吕诺夫文图 ；肖丹琪译 . --
郑州 ：文心出版社，2014.12
（大师名作绘本馆 . 大象巴巴故事全集）
ISBN 978-7-5510-0972-0

Ⅰ . ①巴… Ⅱ . ①布… ②肖… Ⅲ . ①儿童文学 - 图
画故事－法国－现代 Ⅳ . ① I565.85

中国版本图书馆 CIP 数据核字（2014）第 298916 号

大师名作绘本馆：大象巴巴故事全集
书　名：　　**巴巴的故事**
文 / 图：（法）让·德·布吕诺夫　　　译者：肖丹琪
选题策划：智趣文化　　　责任编辑：张彩红　　　特约编辑：李娟
执行策划：周鹰　　　责任校对：刘书焕　　　封面设计：Way·视觉

出版发行：文心出版社（河南省郑州市经五路 66 号）
印　　刷：三河市兴国印务有限公司

开本：710mm×1000mm　　　1/16　　　印张：16.5　　　字数：100 千字
版次：2015 年 1 月第 1 版　　2016 年 10 月第 2 次印刷
ISBN　978-7-5510-0972-0　　定价：72.00 元　（全六册）

　　大森林中，一只小象出生了，他的名字叫作巴巴。
他的妈妈非常地爱他。每天巴巴的妈妈都会温柔地唱着
摇篮曲，用自己的象鼻子摇着巴巴入睡。

巴巴长大了一些。

现在他可以和其他的小象们一起玩耍了。

看，他正在用自己的身体挖沙子玩呢。

　　有一天，巴巴正开心地骑在妈妈的背上。就在这时，一个邪恶的猎人躲在树丛后面，朝他们开了枪！

　　猎人杀死了巴巴的妈妈！小猴子们躲了起来，鸟儿
们也飞走了，巴巴伤心地哭了起来。猎人急忙跑上前去
捉住了可怜的巴巴。

巴巴被吓坏了，幸运的
是最后他终于从猎人手里逃
了出来。几天之后，巴巴实
在是精疲力尽了，于是他朝
着一个村庄走去……

他不知道这些房子是用什么建成的，
因为这是巴巴第一次看到这么多的房子。

　　对于巴巴来说，好多事物都是如此的新奇——比如这些宽阔的街道、飞驰的轿车和公共汽车！然而，巴巴最感兴趣的还是街道上站着的两个绅士。

　　巴巴在心里感叹着："真的，他们的穿着真是讲究呀！我也想要这些漂亮的衣服！我究竟怎样才能够得到这些衣服呢？"

令巴巴高兴的是，一个非常喜欢小象的富有的"老妇人"居然猜透了巴巴的心思。这个老妇人希望所有的人都开心，所以她把自己的钱包给了小象巴巴。巴巴接过了钱包，并对她礼貌地说："多谢你了，尊敬的女士！"

　　小象巴巴没有浪费一点时间，立刻就走进了一间大
商店，进入了电梯。对于巴巴来说，这个大盒子一直在
上上下下，实在是太有趣了。于是他坐着电梯上上下下
了十次。他本来还想继续坐电梯的，但是最终电梯员对
巴巴说："这并不是一个玩具，大象先生。现在你必须
要出去购物了。看，他就是卖场主管。"

然后巴巴给自己买了：

一件带着领子
和领带的衬衫，

一套颜色和自
己相称的绿色套装，

一顶帅气
的圆顶礼帽，

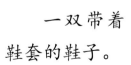

一双带着
鞋套的鞋子。

小象巴巴对这次购物非常满意，穿上这些衣服后，他感觉自己实在是优雅极了。于是他走进了一个照相馆，让摄影师给自己照了个相。

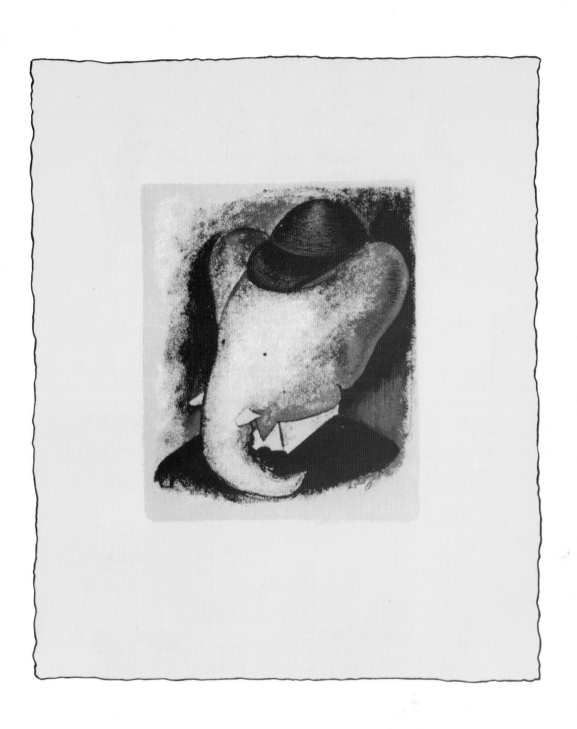

这张就是小象巴巴的照片。

　　小象巴巴和他的朋友——老妇人一起吃了饭。老妇人也觉得小象巴巴穿着这套新衣服看起来非常帅气。吃完饭后，巴巴累了，于是就早早地爬上了床，很快就进入了梦乡。

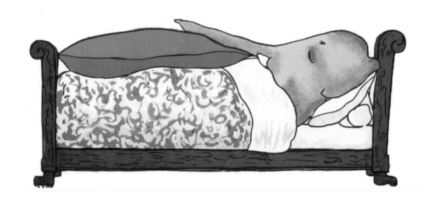

巴巴现在住在老妇人的家中。每天早上，他都和老妇人一起做晨练，之后会美美地洗个澡。

　　巴巴每天都开着车出门。这辆车是老妇人送给巴巴的。她总是给巴巴任何他想要的东西。

$$2 + 2 = 4$$
$$4 + 3 =$$

　　一个博学的教授每天都给巴巴上课。巴巴上课很认真，功课也做得很好。巴巴是一个勤奋好学的学生，所以进步得非常快。

　　晚上，吃完晚饭后，巴巴总是给老妇人的朋友们讲述大森林中有趣的故事。

然而，巴巴其实生活得并不是很快乐，因为他非常想念在大森林中的兄弟姐妹和小猴子朋友们。他经常站在窗户旁边，悲伤地回想着自己的童年。当想到自己的妈妈的时候，巴巴总会流下悲伤的眼泪。

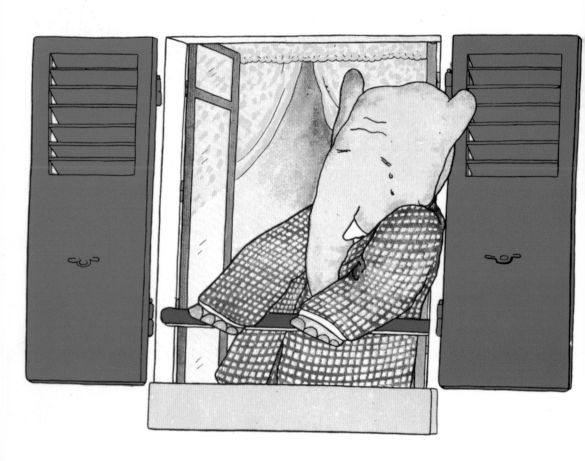

　　两年就这样过去了。一天，当巴巴正在散步的时候，他看见两只小象朝他跑了过来。他们都没有穿衣服。"天啊，"他吃惊地对老妇人说，"那是阿瑟和塞莱斯特，他们是我的表弟和表妹！"

巴巴亲昵地亲吻着他们，然后赶紧给他们买了些漂亮的衣服。

接着巴巴又带他们去了糕点房，让他们品尝了美味的蛋糕。

与此同时，大森林中的大象们正在焦急地呼喊着阿瑟和塞莱斯特的名字，四处寻找着他们。这两只小象的妈妈十分担心他们的安危。

阿瑟

塞莱斯特

阿瑟

塞莱斯特

幸运的是，一只年老的秃鹰飞到城里，看到了阿瑟和塞莱斯特，然后飞回来把这个消息告诉了大家。

于是阿瑟的妈妈和塞莱斯特的妈妈赶紧去城里接两只小象回家。大象妈妈们非常高兴，因为终于找到了两只小象；但同时也责备了两只小象，因为他们什么也没说就离开了家。

　　巴巴下定决心，要跟着阿瑟、塞莱斯特和他们的妈妈一起回家，重新看看那片茂密的大森林。老妇人帮巴巴一起打包他的大箱子。

马上就要出发了，巴巴和老妇人依依不舍地告别。巴巴本来是很高兴的，但是因为要和老妇人告别，所以变得难过起来。巴巴承诺，总有一天他会再回来，他永远也不会忘记老妇人的。

　　他们就这样离开了……因为车上没有足够的位子，所以大象妈妈们就跟在车子后面跑，边跑边举起她们的长鼻子以免吸进灰尘。老妇人被孤零零地留下了，她悲伤地想："什么时候我才能再看见我的小象巴巴呢？"

　　唉，非常遗憾的是，就在一天前，森林中的象王吃了一棵毒蘑菇。

象王中毒了，然后就生了很重的病，不久就去世了。
这真是一个巨大的灾难。

在为象王举行了葬礼之后，三只最年老的大象聚在
一起开了一个会，决定要选出一位新的象王。

就在这时候，外面传来一阵喧闹声。他们一起转过了身。猜猜他们看到了什么！巴巴开着车回来了，而且所有的大象都边跑边兴奋地叫着："他们回来啦！他们回来啦！你好呀，巴巴！你好呀，阿瑟！你好呀，塞莱斯特！你们的衣服好漂亮呀！这是一辆多么漂亮的车啊！"

科尼利厄斯，这位象群中最年老的大象，用他颤抖的声音问道："我亲爱的朋友们，我们正在寻找一位新的国王，为什么我们不选巴巴作为我们新的国王呢？他刚刚从大城市中回来，在和人类生活的时候肯定学会了很多知识，我们就选他做国王吧！"其他的大象们都觉得科尼利厄斯说得非常有道理，大家都在焦急地等待着巴巴的回复。

　　"我想要感谢你们所有人，"巴巴说道，"但是在接受你们的提议之前，我必须向你们说明一下。刚才就在我们坐车回来的时候，塞莱斯特和我决定订婚了。如果我成为了你们的国王，那么塞莱斯特将成为你们的王后。"

　　"王后塞莱斯特万岁！"

　　"国王巴巴万岁！"

　　所有的大象没有一刻的犹豫，立刻欢呼起来！就这样，巴巴成为了新的国王。

　　"你的想法总是很有道理，"巴巴对科尼利厄斯说，
"所以我将任命你为我们象群的将军。当我戴上王冠的
时候，我将把我的帽子赠予你。一个星期之内，我将和
塞莱斯特结婚。为了纪念我们的婚礼和我们的加冕典礼，
我们俩决定举办一个盛大的舞会。"说完巴巴转过身，
让鸟儿们飞到森林的各个地方，告诉所有的动物们都来
参加这个庆祝活动。

然后巴巴又吩咐单峰驼到城镇中去买一些漂亮的结婚服装。

　　婚礼的客人们纷纷来到了。典礼即将开始的时候，
单峰驼才终于背着新郎新娘的衣服赶了回来。

当婚礼和加冕仪式结束之后，

每个人都快乐地跳起舞来。

　　客人散去后，夜幕也降临了。星星布满了美丽的夜空。此时国王巴巴和王后塞莱斯特依偎在一起，心中感到无比的幸福。

　　整个世界都进入了甜甜的梦乡。虽然大家跳了很长时间的舞都有些疲劳，但是所有的宾客都非常开心，他们将会永远记住这个完美的典礼。

　　典礼结束后，国王巴巴和王后塞莱斯特就坐着美丽
的黄色热气球启程度蜜月去了，他们都向往着能到更多
的地方去探险。